Stoppen!

STICHTING NEDERLANDSE
KINDERJURY
2006

© 2005 Educatieve uitgeverij Maretak
Postbus 80, 9400 AB Assen

Tekst: Lida Dijkstra
Illustraties: Kees de Boer
Vormgeving: Heleen van Keulen
DTP Gerard de Groot
ISBN 90 437 0270 6
NUR 140/282
AVI 6

Stoppen!

Lida Dijkstra
illustraties: Kees de Boer

educatieve

uitgeverij

Maretak

1 Jesse zuigvis

Jesse is met zijn moeder naar de tandarts
geweest.
Hij kwakt zijn fiets tegen de heg.
'Ik wil geen beugel', zegt hij boos.
'Als het moet, dan moet het', antwoordt mama.
'Kom nou eerst maar eens mee naar binnen. Jij
hebt vast ook wel dorst gekregen. Dan ga ik met
het eten beginnen. Ik heb een nieuw recept voor
een salade. Iets met prei en banaan.'
Ook dat nog, denkt Jesse.
Want die salades van mama zijn altijd heel vies.
Via de bijkeuken gaan ze het huis in.
Papa geeft net Lieke te eten.
Lieke zit in de kinderstoel.
Papa voert haar prut uit een potje.
'Hoe was het? Geen gaatjes?', vraagt hij.
'Geen gaatjes', zegt Jesse.
'Maar wel een overbeet', zegt mama.
Papa veegt Liekes toet af met haar slab.
Hij laat haar een boertje doen en legt haar in de
box.
'Overbeet? Wat is dat?'

'Komt van het duimen', zegt Jesse en hij vertelt wat de tandarts gezegd heeft.

'Als ik doorga met duimen, moet ik waarschijnlijk een beugel.'

Mama laat de folder over duimzuigen zien, die de tandarts haar meegaf.

Papa pakt hem aan en leest:

Doordat met de duim tegen de tanden wordt geduwd, gaan de bovenste snijtanden naar buiten wijzen en de onderste naar binnen. Het gebit sluit niet goed meer.

'Niet zo best', zegt papa.

Hij krijgt een rimpel boven zijn ogen.

'Duimen is ook een rare gewoonte. En het is dus nog slecht voor je tanden ook. Je zit al in groep vier. Je had er allang mee moeten stoppen.'

Jesse ploft op de bank neer.

Mama zet intussen theewater op.

'Ik doe het toch niet met opzet?', zegt Jesse. 'Ik heb er ook een hekel aan. Helemaal als ik het op school doe. Felix pest me er steeds mee.'

'Word je ermee geplaagd?', vraagt mama.

Ze gaat naast hem op de bank zitten.

'Dat wist ik helemaal niet.'

Zacht knikt Jesse.

'Felix scheldt me uit voor *Jesse zuigvis*.'

'Zuigvis? Het moet niet gekker worden', zegt

mama. 'Waarom heb je daar niks van gezegd?
Moet ik met de juf gaan praten?'
Jesse schudt zijn hoofd.
'Dan wordt het alleen maar erger. Maar ik wil wel
met duimen stoppen. Ik wil het echt!'
'Weet je het zeker?', vraagt papa.
'Ja, natuurlijk.'
'Héél zeker?'
'Waarom vraag je dat?'

'Weet je wel wat je nu zit te doen?'
'Wat?'
Jesse kijkt papa dommig aan.
'Je zit met je duim in je mond!'
Jesse schrikt ervan.
Hij haalt zijn duim uit zijn mond.
Hij kijkt naar het natte topje.
'Ik merk niet eens dat ik zuig', zegt hij triest en
hij veegt zijn duim aan zijn broek af. 'Hoe moet
ik dan stoppen?'

Papa haalt een pakje sigaretten uit zijn zak.
Met zijn aansteker steekt hij eentje aan.
Hij zuigt de rook diep in en blaast hem weer uit.
'Je moet er gewoon goed op letten', zegt papa.
'Straks zit je in groep vijf en dan zuig je nog op je
duim. Wat zeg ik? Straks zit je op de middelbare
school en zuig je nog op je duim. Of je hebt een
auto en zit achter het stuur met je duim in je
mond.'
'Doe niet zo stom', snauwt Jesse. 'Ik duim nou
toch niet?'
Hij gaat op zijn rechterhand zitten voor alle
zekerheid.
Dan moet hij niezen, want er kringelt rook in
zijn neus.
Vieze rook van papa's sigaret.
'Jij moet ook stoppen', zegt Jesse daarom.

2 Een wedstrijd

'Stoppen?', vraagt papa verbaasd. 'Ik zuig toch
niet op mijn duim?'
'Nee, jij rookt! Dat is nog veel erger. Heb je laatst
het jeugdjournaal niet gezien? Rokers leven
dertien jaar korter dan mensen die niet roken.'
Papa knippert met zijn ogen.
'Dat valt vast mee', antwoordt hij. 'Mijn opa
rookte als een schoorsteen en hij is negentig jaar
geworden.'
'Leuk geprobeerd,' zegt mama, 'maar de meeste
opa's die roken, overlijden toch echt vóór hun
negentigste.'
Jesse zit wild te knikken, terwijl hij doorgaat:
'Als je rookt, kom je vol teer en roet te zitten. En
je kunt kanker krijgen.'
Wel een beetje gemeen, om dat te zeggen.
Maar hij is boos, omdat papa hem plaagde.
'En je laat ons meeroken. Mama en Lieke en mij.
Weet je dat wij ook ziek kunnen worden van
jouw rook?'
Jesse is niet meer te stuiten.
'Het stinkt hier altijd. Mijn kleren en mijn haar

ruiken vies. Jij ruikt naar asbak en je nagels zijn
geel.'
'Hij heeft wel gelijk, Jaap', zegt mama. 'Dat jij
rookt, is slecht voor ons allemaal.'
Jesse besluit: 'Ik moet stoppen met duimen,
maar jij moet stoppen met roken.'
Papa zegt niks meer.
Hij neemt een haal van zijn sigaret.
Peinzend kijkt hij de rook na die hij uitblaast en
hij neemt nog een trek.
Het puntje van de sigaret licht op.
'Ik wil heus wel stoppen', zegt papa. 'Ik ben zelfs
al eens gestopt. Vlak nadat jij geboren bent.'
'Hoe kan dat nou', zegt Jesse. 'Je rookt toch nog?'
Papa knikt.
'Ik heb een maand niet gerookt. Maar ik kon het
niet volhouden. Ik word kribbig als ik niet rook.
En ik ga heel erg snoepen.'
Jesse knikt begrijpend en antwoordt: 'Ik word
vast kribbig als ik niet duim.'
Mama loopt naar de keuken.
Ze haalt voor iedereen een kop thee.
Als ze die op tafel heeft gezet, zegt ze: 'Ik heb een
voorstel.'
Jesse kijkt haar aan.
Opeens voelt hij dat zijn duim al weer in zijn
mond zit.

'Jullie stoppen allebei', zegt mama. 'Jesse met duimzuigen en papa met roken.'

Jesse trekt zijn duim uit zijn mond.

'Wanneer?', vraagt hij.

'Nu!', zegt mama. 'Jullie stoppen nu meteen!'

'Doen we dat?', vraagt papa aan Jesse.

'Dat doen we!', roept Jesse moedig.

'Natuurlijk!', zegt papa. 'Wij zijn stoer. Ik zal het bewijzen!'

Papa grijpt zijn sigaretten van tafel en loopt naar de afvalemmer in de keuken.

Met een boog smijt hij ze weg.

'Opgeruimd staat netjes', zegt hij flink. 'Ik rook niet meer. Zo simpel is dat!'

Jesse kijkt naar zijn rimpelige duim.

De nagel is plat van het zuigen.

'Het is niet eerlijk', zegt hij dan. 'Jij kunt je sigaretten weggooien, pap. Maar ik kan mijn duim niet weggooien. Die zit aan mij vast. En als hij in mijn mond wil, doet hij dat gewoon.'

'Je moet hem laten zien wie de baas is', zegt papa.

Mama loopt naar de box.

Ze raapt een aantal speeltjes van de grond en legt ze terug bij Lieke.

Lieke pakt een blok en smijt hem de box uit.

Mama raapt hem op.

Lieke smijt hem weer weg.

'Je bent een kleine boef', zegt mama tegen haar. Tegen papa en Jesse zegt ze: 'Maak er een wedstrijd van.'

'Wat bedoel je?', vraagt Jesse.

Mama zegt: 'Papa rookt elke dag een pakje. Dat kost veel geld. Wanneer hij stopt, geeft hij dat geld niet meer uit. Als hij dat nu eens in een potje doet?'

Ze loopt naar de kast en pakt een glazen stopfles. 'In deze fles. Een pakje sigaretten kost bijna vier euro. Over een maand zit er dan ongeveer ...'

Mama kijkt omhoog en rekent: '... 120 euro in deze pot. Dat is een heleboel geld. Wie na de maand echt is gestopt, wint het geld.'

'En als het tussendoor misgaat?', vraagt Jesse.
'Als ik per ongeluk toch nog eens duim?'
'Dat kan gebeuren', vindt mama. 'Het mag een
paar keer fout gaan. Dat spreken we af. Als jullie
over een maand maar zijn gestopt.'
'En als het ons allebei lukt te stoppen?', vraagt
Jesse.
'Dan delen jullie het geld', antwoordt mama.
'En als het ons geen van beiden lukt?', vraagt
papa.
'Dan is het geld voor mij!', zegt mama zonnig.
'En ik weet al wat ik er dan mee doe. Ik laat me
lekker verwennen. Ik ga naar de sauna of naar de
zonnebank. Heerlijk niks doen.'
Papa steekt zijn neus in de lucht.
'Verheug je er maar niet te veel op. Dat geld
wordt van mij!', zegt hij.
Hij trekt zijn portemonnee, haalt er vier euro uit
en stopt die in de stopfles.
'Dit is alvast voor het eerste pakje dat ik niet
rook. En ik weet al wat ik met het geld ga doen.
Ik besteed het aan iets sportiefs. Aan nieuwe
tennisschoenen of een nieuw racket.'
'Poe! Vergeet het maar, dat geld wordt van mij!',
zegt Jesse. 'Ik koop iets om mee te spelen. Een
playstation of een trampoline.'
Lieke maakt een geluidje.

Ze smijt weer een blok uit de box.
En dan haar fopspeen.
'Wat krijgen we nu?', zegt mama. 'Wil jij niet
langer op je fopspeen zuigen? O, ik snap het al.
Jij wilt ook meedoen met de wedstrijd. Jongens,
Lieke doet ook mee!'
Daar moeten papa en Jesse erg om lachen.

3 Pleisters

Jesse staat in de badkamer.
Het is tijd om naar bed te gaan.
Hij wast zijn gezicht en poetst zijn tanden.
Omdat hij ertegen opziet om te gaan slapen,
treuzelt hij.
Mama steekt haar hoofd om de hoek van de deur.
'Schiet eens op, joh!'
Als ze Jesses bedrukte gezicht ziet, schrikt ze.
'Wat is er?'
'Ik duim als ik slaap', zegt Jesse. 'En om in slaap
te komen.'
'Ach ja, dat is waar', zegt mama.
Jesse spoelt zijn mond en zegt: 'Ik kan er niks
aan doen. Als ik half in slaap ben, kruipt mijn
duim in mijn mond. En dan heb ik de wedstrijd
verloren.'
Mama antwoordt: 'Dan moeten we daar iets op
bedenken.'
'Mam, kunnen we de regels niet veranderen?',
vraagt Jesse. 'Dat ik 's nachts wel mag duimen,
alleen overdag niet?'
Mama schudt haar hoofd.

'Dan gaan je tanden net zo goed naar voren staan', zegt ze. 'En eigenlijk doe je het voor je tanden, niet voor de wedstrijd. Nee, 's nachts moet je ook stoppen.'

'Dat lukt me nooit', zegt Jesse somber.

'Ik haal de folder erbij', zegt mama. 'Daar staan allerlei tips in.'

Ze loopt weg.

Al gauw is ze terug met de folder in haar hand.

Ze leest voor: *'Tip één. Als het kind zelf ook wil stoppen, kan het helpen een pleister rond de duim te plakken als geheugensteun.* Pleisters om je duimen. Zullen we dat doen?', vraagt ze.

'Ik snap het niet', zegt Jesse. 'Hoe kan een pleister me helpen?'

'Als je je duim in je mond steekt, voel je die pleister. Dan weet je weer dat je wilde stoppen', zegt mama.

Jesse steekt zijn duimen omhoog.

'Plak maar vol', zegt hij.

Mama grijnst.

'Even pleisters halen.'

In een wip is ze terug.

Ze plakt om elke duim een brede pleister.

'Zo moet het lukken', zegt ze tevreden.

Nu wil Jesse wel naar bed.

Eigenlijk is hij heel moe.

Samen gaan ze naar boven.
Mama leest een verhaal voor.
Dan stopt ze hem lekker in.
'Trusten, kerel.'
Zachtjes doet ze de deur dicht.
'Trusten, mam. Laat je het lichtje in de hal
branden?'
'Tuurlijk!'
'Doe je het buitenlicht wel uit?'
'Tuurlijk!'

4 Weggeduimd

Als Jesse de volgende ochtend beneden komt, zit
papa al aan de eettafel.
Mama zet thee.
Lieke zit in de kinderstoel.
Ze sabbelt op een korst brood.
'Hoe ging het vannacht?', vraagt mama. 'Hebben
de pleisters hun werk gedaan?'
Verdrietig steekt Jesse zijn duimen omhoog.
Eén pleister hangt als een nat vodje rond zijn
duim.
De andere pleister is weg.
'Oei,' schrikt mama, 'dat ziet er niet best uit.
Waar is die tweede pleister gebleven?'
'Weggeduimd', zegt Jesse. 'Ik kan hem niet meer
vinden. Misschien heb ik hem wel doorgeslikt.'
Mama glimlacht.
'Hij zal wel in je bed liggen. Moed houden,
jongen. Eén misser moet kunnen, dat hadden we
afgesproken. Pleisters helpen jou 's nachts dus
niet. Maar in de folder stonden veel meer tips.
Vanavond proberen we tip twee. En we gaan door
tot we de gouden tip ontdekt hebben.'

Jesse gaat zitten.

Hij smeert een boterham en strooit er een berg hagelslag op.

Hij vraagt: 'Hoe moet het straks op school? Ik duim daar ook wel eens. Als we in de kring zitten, of als juf een verhaal voorleest.'

'Zullen we toch nog maar eens de pleistertruc proberen?', stelt mama voor.

'Goed idee', zegt papa. 'Plak een pleister op zijn mond. Dan kan die duim niet naar binnen. Ook wel lekker rustig voor iedereen.'

'Haha, wat zijn we weer leuk', snauwt Jesse.

'Nee, we zijn niet leuk,' antwoordt papa, 'want we snakken naar een sigaret. Je wilt niet weten hoe ik me voel. Mijn mond is droog en mijn hoofd doet zeer. Ik moet een sigaret. Jesse, haal er eentje voor me uit de vuilnisbak. Ik betaal je vijf euro.'

'Niet doen, hoor Jesse', zegt mama. 'Jaap, stel je niet zo aan.'

'Misschien kun jij een pleister op je mond plakken, pap', zegt Jesse. 'Dan kan die sigaret niet naar binnen.'

Papa trekt een gezicht naar hem.

Jesse steekt zijn tong uit.

'Pleisters dan maar', zegt mama.

Ze haalt opnieuw de rol pleisters.

'Wil je ze op je mond of rond je duimen?', vraagt
ze.
Haar ogen lachen.
'Doe toch maar rond mijn duimen', zegt Jesse.
Hij laat zijn duimen volplakken door mama.
Het staat best stoer.
'Ik wil een sigaret', zeurt papa intussen.
'Neem maar een kopje thee', zegt mama.

5 Washandjes

De klas zit in de fruitkring.
Voor ze gaan eten, mogen ze iets aan elkaar
vertellen, als ze dat willen.
Elsje steekt haar vinger op.
Ze vertelt dat haar oma op bezoek komt.
Daarna is Arjette aan de beurt.
Ze heeft een hamster gekregen.
Jesse luistert stil naar wat ze vertelt.
En dan opeens ... merkt hij dat hij toch weer zit
te duimen.
Met een ruk trekt hij zijn hand terug.
De pleister is kleddernat.
Jesse kijkt woest naar zijn duim.
Ik ben de baas, denkt hij.
Stomme duim.
Hij gaat op zijn handen zitten.
De pleisters werken dus niet.
Zelfs niet als hij wakker is.
Steeds weer merkt Jesse dat hij duimt.

Eenmaal thuis rukt hij de pleisters af.
'Ik kan niet stoppen met duimen', zegt hij kwaad

en hij ploft op de bank. 'Het lukt me niet.'
'Kop op', zegt mama.
Ze houdt een potje omhoog.
'Kijk eens wat ik gekocht heb? Dit was tip twee
uit de folder.'

'Het lijkt wel nagellak', zegt Jesse.
'Het is ook zoiets', zegt mama. 'Je kunt het op je
vingers smeren. Het smaakt heel vies, heel bitter.
Het wordt ook gebruikt tegen nagelbijten. Als je
dat proeft, doe je je duim gelijk uit je mond.'
'Ik doe geen nagellak op', zegt Jesse. 'Ik ben geen
meisje.'
Mama kijkt hem boos aan.
'Je moet wel meewerken, anders kom je nooit
van het duimen af. Het is een kleurloos goedje.
Je ziet er niks van.'
'Ik doe het niet op', zegt Jesse.
Hij gaat mokkend overeind zitten.

Die avond leest mama tip drie uit de folder
hardop voor.

*'Je kan ook de pyjamamouwen dichtnaaien. Of een
washandje met een elastiekje rond één of beide
handen vastmaken.'*

Jesse zit naast haar op zijn bed en luistert.

'Ik wil mijn mouwen niet dichtgenaaid hebben',
zegt hij.

'Nee, dat lijkt me ook niks', zegt mama. 'De
washandjestruc dan maar proberen?'

'Wel stom,' zegt Jesse, 'washandjes om je
handen.'

Mama knikt.

'Maar misschien helpt het. Zullen we het toch
maar proberen?'

'Vooruit dan maar', zucht Jesse.

'Trek je pyjama maar vast aan, dan haal ik
elastiek uit de naaimand. Dankzij die
washandjes stop je vast met duimen.'

Mama verdwijnt.

Als Jesse in zijn bed springt, komt ze zijn
slaapkamer weer in.

Ze heeft een schaar, een stuk elastiek en twee
washandjes bij zich.

'Steek je hand eens naar voren', zegt ze.

Ze pakt Jesses handen in met elastiek rond de
polsen.

Jesse steekt één roze hand naar voren en één
groen-met-blauwe-streepjeshand.
'Sta ik even voor gek', zegt hij. 'Maar goed dat
Felix me niet kan zien.'
Mama proest en slaat haar hand voor haar mond.
'Nou lach je me ook nog uit', zegt Jesse boos. 'Ik
wil ze niet meer om. Ik vind ze stom.'
'Je moet even doorzetten', zegt mama. 'Denk aan
je tanden of aan de pot met geld.'
'Als ik het geld win, mag ik dan zelf weten wat ik
er voor koop?'

'Nou, dat weet ik niet', zegt mama aarzelend.

'Geen snoep in ieder geval.'

'Maar wel een trampoline?'

'Misschien kun je het beter op je spaarrekening zetten. Het is een hoop geld.'

'Ik moet er ook een hoop voor doen', zegt Jesse en hij steekt de washandjes omhoog.

Mama doet haar best om niet weer te lachen.

'Ik vind je flink', zegt ze. 'En nu ga ik gauw naar papa. Volgens mij is hij stiekem aan het snoepen. Ik hoor beneden een keukenkastje dichtslaan. Nu papa niet meer rookt, eet hij veel meer. Straks is alle drop en chips op. Trusten, kerel.'

Mama loopt zijn kamer uit.

'Trusten, mam. Laat je het lichtje in de hal branden?'

'Tuurlijk!'

'Doe je het buitenlicht wel uit?'

'Tuurlijk!'

6 Een flesje met een kwastje

De volgende ochtend komt Jesse beneden met
zijn handen op zijn rug.
'Wat loop je raar', bromt papa.
Hij kijkt amper op van zijn krant.
'Mam, help me!', fluistert Jesse dwingend.
Hij schuifelt op zijn moeder af.
'Wat is er?', vraagt mama.
Jesse loert naar papa.
Gelukkig, die let niet op hem.
Hij steekt de washandjes omhoog.
'Ik krijg die dingen er niet af', sist hij.
Mama begrijpt het probleem.
Ze pakt de schaar uit de la.
Op dat moment kijkt papa toch.
'Wat heb jij nou om je handen?', vraagt hij.
Jesse wil de washandjes weer achter zijn rug
verstoppen, maar het is al te laat.
Papa heeft ze al gezien.
'Als je me uitlacht, word ik heel kwaad', zegt
Jesse.
'Ik zou niet durven', zegt papa.
Mama haalt de washandjes los.

Jesse beweegt zijn vingers.

'Hebben ze geholpen?', vraagt mama.

'Nogal wiedes', vindt Jesse. 'Met zulke dingen
om kan ik echt niet duimen.'

'Wil je ze vannacht weer om?'

Jesse haalt zijn schouders op.

'Liever niet, maar het zal wel moeten.'

'Je zou ook je handschoenen kunnen proberen',
zegt mama.

'Handschoenen aan in bed?', kreunt Jesse.

'Handschoenen zijn niet cool.'

Papa mengt zich in het gesprek.

'Dat hangt van de handschoenen af', zegt hij.

'Gisteren liep ik langs een sportzaak. Daar zag ik
heel stoere. De coolste handschoenen van de
wereld.'

'Ik vind alle handschoenen stom', moppert Jesse.

'Deze niet', zegt papa.

'Heus wel', zegt Jesse.

'Ik wil een sigaret', zegt papa.

'Ik wil een duim', zegt Jesse. 'En ik zeur toch ook
niet?'

Voor hij naar school gaat, sluit Jesse zich op in de
badkamer.

Hij heeft het kleine flesje van mama gekregen.

Hij snuffelt er eens aan.

Dan draait hij het dopje los.
Aan het dopje hangt een kwastje.
Jesse smeert het spul op zijn duimen.
Gelukkig zie je er niks van.
Het flesje verstopt hij achter de shampoo.

7 Snel als een panter

Jesse schopt zijn voetbal tegen het muurtje.
Hij ziet papa's auto de straat in rijden.
Papa stapt uit.
In zijn linkerhand heeft hij zijn koffertje en in
zijn rechterhand een plastic draagtas.
Die steekt hij de lucht in.
Jesse rent naar hem toe.
'Wat zit daarin?', vraagt hij.
'Iets voor jou!', zegt papa. 'Handschoenen!'
'Handschoenen?'
Jesse trekt zijn neus op.
'Pak ze nou eerst maar uit', zegt papa. 'Want dit
zijn geen gewone handschoenen.'
Jesse volgt papa het huis in.
Binnen haalt hij een doos uit de tas en trekt het
deksel eraf.
Hij ziet dikke, rood met zwarte handschoenen
met een sluiting van klittenband.
Jesse kijkt met open mond.
Is dit wat hij denkt dat het is?
'Ik zei toch dat ik coole handschoenen had
gezien?', zegt papa.

'Het lijken wel bokshandschoenen!', roept Jesse.
Papa antwoordt: 'Dat zijn het ook. Ik heb ze voor jou gekocht. De kleinste maat die er is.'
Jesse knijpt eens in de handschoenen.
Ze voelen zacht aan.
'Trek ze maar eens aan', zegt papa. 'Misschien zijn ze nog een beetje te groot, maar je kunt ze rond de polsen vastzetten.'
Hij helpt Jesse om ze aan te trekken.
'Mooi zeg', zegt Jesse.
Hij begint in de lucht te boksen.
Hij huppelt om papa heen, stompt nog een paar keer in de lucht en dan in papa's buik.
Blijkbaar iets te hard, want papa kreunt.
'Zeg, laat je pa heel', zegt hij als hij is uitgehoest.
'Ik heb ze niet gekocht om mensen mee te slaan.'
'Waarvoor dan?', vraagt Jesse.
'Om iets met je handen te doen', zegt papa. 'Als je bokshandschoenen draagt, kun je niet duimen.'
'Maar tegen wie moet ik dan boksen?'
'Loop maar eens mee naar de auto.'
Papa is de deur al uit.
Hij doet de achterklep van de auto open en haalt er een boksbal uit.
'Ik mocht hem een weekje lenen van de

sportzaak. We moeten hem nog wel in elkaar
zetten. Hij kan mooi in de garage.'
Mama is erbij komen staan met Lieke op haar
arm.
'Jakkie', zegt ze. 'Bokshandschoenen? Dat had je
eerst wel mogen bespreken. Ik hou niet van
boksen. Je wilt toch niet dat Jesse andere jongens
gaat slaan?'
'Boksen is een sport', zegt papa.
Hij duwt Jesse een steel in zijn handen.
'Help eens even mee, jongen.'
Met zijn handschoenen nog aan pakt Jesse de
steel vast.
'Zetten we hem gelijk in elkaar, pap?'
'Zeker weten', zegt papa.
Ze lopen de garage in.
Papa maakt de boksbal vast op de steel.
De steel draait hij in een standaard.

'Zo, ben je klaar voor je eerste boksles?', vraagt
hij.

Mama zet Lieke op haar andere heup.

'Kun jij dan boksen?', vraagt ze aan papa.

'Veel gezien op tv', zegt papa. 'Het voetenwerk is
het belangrijkst. Wees snel als een panter, soepel
als een slang.'

Hij huppelt om Jesse heen, terwijl hij in de lucht
bokst.

Jesse begint terug te boksen.

Hij raakt papa weer in zijn maag.

Niet met opzet, maar de klap komt gemeen aan.

Papa grijpt naar zijn buik en puft.

'Sorry pap', zegt Jesse. 'Maar jij bent zo snel als
een slak.'

8 Bloedneus

Papa geeft een halfuurtje boksles aan Jesse.
Jesse wordt er heel moe van.
In zijn armen en in zijn benen.
Maar hij vindt het heel leuk.
'Nog een rechter directe', roept papa.
Jesse geeft de bal een por.
'En tot slot een linker opstoot.'
Dan gaat het fout.
Het komt vast omdat Jesse moe is.
Hij geeft de boksbal een dreun.
De bal stuitert terug.
Recht in zijn gezicht.
Jesse voelt een lauw straaltje over zijn bovenlip
lopen.
'O nee,' zegt papa, 'je hebt een bloedneus.'
Hij trekt een schone zakdoek uit zijn zak en
duwt die tegen Jesses neus.
Zo komen ze de keuken in.
Jesse met zijn bokshandschoenen aan en papa
met de zakdoek tegen Jesses neus geduwd.
Mama staat een salade door elkaar te husselen.
'Wat is er gebeurd?', schrikt ze.

En als ze het bloed op de zakdoek ziet: 'Heb jij je
zoon een bloedneus geslagen?'
Ze kijkt papa woedend aan.
'Ik niet', zegt papa. 'De boksbal.'
Mama hapt naar adem.
Ze zegt: 'Ik vond het al niks, dat boksen. Maar nu
vind ik het helemaal niks!'
Jesse neemt het voor papa op.
'Het bloedt al niet meer', zegt hij. 'En het was
mijn eigen schuld. Pap kon er niks aan doen. De
handschoenen werken trouwens heel goed. Ik
heb helemaal niet meer aan duimen gedacht.'
Papa knikt heftig.

'En ik heb niet meer aan roken gedacht. Dus je ziet, boksen is goed voor ons. Misschien moet ik zelf ook maar een paar bokshandschoenen kopen.'

'Als je dat maar laat', zegt mama. 'Wie wil er proeven van mijn salade? Er zit ananas en bloemkool in.'

'Wat is dat bruine spul?', vraagt Jesse.

'Pindakaas', zegt mama vrolijk. 'Er stonden pinda's in het recept, maar ik had geen pinda's. Dit leek me een goede oplossing. Wil je proeven?'

Bang kijkt Jesse naar papa.
De salade lijkt hem erg vies.
Papa kijkt angstig terug.
Hij kent mama's salades
langer dan vandaag.

9 Stoer

Jesse wacht tot mama hem instopt.
Hij heeft het dekbed lekker tot zijn kin
getrokken.
Mama gaat op de rand van het bed zitten.
'Doet je neus nog zeer?'
'Niet echt meer', zegt Jesse.
'Hoe ging het vandaag met duimen?'
'Niet zo goed', zegt Jesse. 'Dat spul uit dat flesje
is vies, mam. Dat wil jij niet weten. Nog viezer
dan ... Nog viezer dan ... poep!'
'Niet zo raar doen, Jesse', zegt mama. 'Dus het
helpt wel?'
'Eerst wel', zegt Jesse. 'Maar ik duimde een paar
keer per ongeluk en toen was het eraf.'
'Het is blijkbaar erg moeilijk om te stoppen', zegt
mama.
Ze pakt de washandjes van het kastje.
'Zal ik ze maar weer om binden?'
Wild schudt Jesse zijn hoofd.
'Die domme dingen wil ik niet meer aan.'
'Maar hoe moet het vannacht dan met
duimzuigen?'

Jesse duikt onder zijn bed en haalt zijn
bokshandschoenen tevoorschijn.
'Ik doe déze aan vannacht!'
'Dat meen je niet', zegt mama. 'Dat is toch heel
onhandig? En veel te heet?'
'Maar wel stoer', zegt Jesse.
'En als je dan je neus moet snuiten?'
'Ik haal mijn neus wel op. Dat doe ik toch
meestal al.'
'Ook lekker', griezelt mama.
Even weet ze niet wat ze moet zeggen.
Dan haalt ze haar schouders op.
'Vooruit dan maar, je moet het zelf maar weten.
Maar raar vind ik het wel.'
Ze helpt Jesse in zijn bokshandschoenen.

'Denk je dat je zo wel kunt slapen?'

'Zeker weten. Ik vind ze hartstikke stoer. Morgen neem ik ze mee naar school', zegt Jesse. 'Dan laat ik ze in de kring zien.'

Hij nestelt zich lekker in zijn kussen.

Hij wordt al wat sloom in zijn hoofd.

Mama loopt naar de deur.

Ze kijkt nog eens achterom voor ze het licht uit doet.

Jesses armen liggen boven de dekens, met grote bokshandschoenen aan.

Mama glimlacht.

'Trusten, kerel.'

Ze doet de deur dicht.

'Trusten, mam. Laat je het lichtje in de hal branden?'

'Tuurlijk!'

'Doe je het bui-ten ...'

Jesse maakt zijn zin niet af.

Hij slaapt al.

10 Rook in de wc

Jesse slaapt heerlijk.
Maar midden in de nacht krijgt hij een stoot, vlak
voor zijn gezicht.
Hij schrikt wakker, zijn hart bonkt in zijn keel.
Zijn neus doet weer zeer.
Wie heeft hem een klap gegeven?
Hij luistert.
Er is niemand in zijn kamer.
Dan opeens begrijpt hij wat er gebeurd is.
Hij heeft zichzelf een klap verkocht.
Hij wilde natuurlijk gaan duimen, maar zijn
duim zat in de handschoen.
Daarom heeft hij zichzelf gestompt.
Ben ik even dom, denkt Jesse.
Straks sla ik mezelf bewusteloos.
Hij grinnikt loom, draait zich om en valt meteen
in slaap.
Gelukkig wordt hij die nacht verder niet meer
door zichzelf geslagen.

De volgende ochtend komt hij beneden met nog
steeds zijn bokshandschoenen aan.

Papa zit bij de tafel in zijn badjas.
Hij kijkt als een oorwurm.
'Ben je boos?', vraagt Jesse.
'Maagpijn', bromt papa. 'Rare smaak in mijn
mond. Ik wil een sigaret. Mijn leven is niet leuk
meer.'
'Je moet doorzetten', zegt mama. 'Flink zijn. De
eerste dagen zijn het ergst.'
'Jij kunt makkelijk praten', moppert papa. 'Jij
hebt nooit gerookt. Ik ga naar de wc.'
Hij staat op en verdwijnt.
'Ik heb zin in de maandsluiting vandaag', zegt
Jesse. 'We hebben een heel leuk liedje geleerd.
Over een dolfijn.'
'O nee toch', schrikt mama. 'De maandsluiting.
Is dat vanochtend?'
'Dat weet je toch wel?', zegt Jesse. 'Ik heb toch

een briefje meegekregen? Onze groep is aan de beurt. We laten onze werkstukken zien en vertellen hoe we ze gemaakt hebben. En we hebben een liedje geleerd.'

Mama kreunt.

'Niet in mijn agenda geschreven. Moeten de ouders om elf uur op school zijn?'

Jesse knikt.

Hij pakt onhandig een broodje.

'Of de oma's, of de oppasmoeders. Je komt toch wel, mam?'

Mama bekijkt haar agenda.

'Ik moet met Lieke naar het consultatiebureau, om tien uur. Maar misschien haal ik het. Ik doe mijn best. Zeg het ook even tegen papa. Misschien kan hij ook komen, als hij een vroege middagpauze neemt.'

'Ik vraag het meteen', zegt Jesse.

Hij springt van zijn stoel en rent naar de wc.

De deur is niet op slot.

Jesse rukt de deur open.

Daar staat papa.

Op zijn tenen voor het raampje.

Hij blaast rook naar buiten.

Maar de wc stinkt toch.

'Oooo', gilt Jesse. 'Pap, wat doe je nou? Je rookt! Je róókt! Maháám, papa roohóókt!'

Schuldig kijkt papa naar de sigaret tussen zijn
vingers.
'Euu', stamelt hij.
Jesse rent terug naar de huiskamer.
'Mam, pap is op de wc aan het roken.'
Mama komt aanlopen.
'Niet te geloven, Jaap.'
Jesse kan horen dat ze boos is.

'Is dit nou een voorbeeld voor je zoon?'
'Sorry', zegt papa zacht.
'En hoe kom je aan die sigaret?', wil mama
weten.
'Uit de vuilnisbak gehaald', zegt papa. 'Het hele
pakje.'
'Hier dat pakje', zegt mama streng.
Ze steekt haar hand uit.
Papa diept het pakje uit de zak van zijn badjas
op.
Hij geeft het aan mama.

'Ik had het niet moeten doen', zegt hij. 'Stom,
stom, stom van me.'
'Zeg dat wel', zegt mama bits.
Jesse kijkt mama opgewonden aan.
'Heb ik nu het geld uit de pot gewonnen?'

'Nog niet', beslist mama. 'Iedereen heeft recht op een foutje. Papa is één keer de mist in gegaan. Maar daarom kan hij over een maand nog wel gestopt zijn. Bij jou is het ook een paar keer misgegaan.'

'Het gebeurt niet meer', zegt papa. 'Ik vond die sigaret niet eens lekker.'

'Pap, kom je om elf uur op school? Onze groep heeft maandsluiting', zegt Jesse.

'Ik zorg dat ik er ben', zegt papa.

Mama pakt haar autosleutels.

'Trek je jas maar aan, Jesse', zegt ze. 'Dan breng ik je naar school.'

Jesse kijkt naar zijn bokshandschoenen.

Hoe moet hij zijn jas aantrekken?

'Ja, die moeten uit', zegt mama.

'Maar daarna doe ik ze weer aan', beslist Jesse. 'Ik wil ze laten zien. En ik wil ze aan op school. Dan kan ik daar ook niet duimen.'

'Vindt de juf dat wel goed?'

'Ik vertel haar wel waar het voor is.'

'Je moet het zelf maar weten', zegt mama. 'Denk je niet dat Felix je pest als je de hele dag bokshandschoenen draagt?'

Jesse houdt de handschoenen dreigend voor zijn gezicht.

'Durft hij toch niet.'

'Je slaat geen mensen met die dingen, hoor je
me? Als ik klachten van de juf krijg, gaan ze
achter slot en grendel', waarschuwt mama.
'Ik zal er niet mee slaan. Dat beloof ik.'
Jesse huppelt door de gang.
Met zijn jas aan en zijn bokshandschoenen aan.
'Ik ben snel als een panter en soepel als een
slang.'
Mama lacht.
'Hup, slang', zegt ze.
Ze geeft hem een duwtje.
'De auto in.'

II Zingen met bokshandschoenen

De kinderen lopen naar het speellokaal.
Achterin staan drie rijen stoelen.
Daar zitten de ouders.
Jesse tuurt langs de rijen.
Helemaal links bij de deur gaat een hand
omhoog.
De hand zwaait naar hem.
Mama!
Ze is er!
Mama heeft Lieke op schoot.
Jesse zwaait terug, met zijn bokshandschoen.
Want zijn handschoenen heeft hij nog aan.
De hele ochtend al.
Op dat moment komt papa ook binnen.
Jesse wordt helemaal warm van binnen.
Ze zijn allebei gekomen!
Om precies elf uur beginnen ze.
'Dames en heren', zegt de juf.
'Groep vier heeft twee weken lang heel hard
gewerkt. Ons thema is: het leven in zee. De
kinderen gaan hun werkstukken aan u laten zien
en er iets over vertellen.'

Alle kinderen pakken hun plakwerk van de
grond.
Jesse probeert het ook.
Maar zijn handschoenen zitten erg in de weg.
De juf helpt hem.
Ze raapt de tekening op en duwt die tussen zijn
handschoenen.
Ze knipoogt naar hem.
Dankbaar lacht Jesse terug.
'Kim, wil jij iets vertellen over je werk?'
Dat doet Kim.
Daarna is Qing aan de beurt.
De juf gaat het rijtje kinderen af.
Dan mag Jesse.
'Ik heb zeepaardjes geplakt', zegt hij.
'Zeepaardjes zijn eigenlijk een soort visjes. De
mannetjes hebben een buidel. Daarin broeden ze
de eitjes uit.'
Op dat moment valt de tekening uit zijn handen.
Door de bokshandschoenen, natuurlijk.
Jesse krijgt een rood hoofd.
Hij schaamt zich vreselijk.
Hij kan de tekening niet oprapen.
De juf gaat vlug naar hem toe.
Ze pakt de tekening weer van de grond.
'Lekker handig, die handschoenen', roept Felix.
De meeste kinderen lachen.

De grote mensen trouwens ook.

Jesse voelt zich heel rot.

Maar de juf zegt: 'Jesse is met een speciaal
project bezig. Een heel dapper project. Daarvoor
heeft hij die handschoenen nodig.'

Ze kijkt waarschuwend naar Felix, terwijl ze haar
blokfluit pakt.

'We gaan nu voor u zingen: Dolfijntje Trijntje
ging naar zee.'

Gelukkig, denkt Jesse.

Zingen gaat heel goed met bokshandschoenen
aan.

En uit volle borst zingt hij het lied met de
anderen mee:

> *'Dolfijntje Trijntje ging naar zee.*
> *Ze nam een rieten mandje mee.*
> *Wat zat er in dat mandje?*
> *Een roze opblaasbandje.*
> *En vleugels voor haar vinnen.*
>
> *Giraffe Karel lag op 't strand.*
> *Hij zei, al wijzend naar de mand:*
> *"Dat bandje is niet nodig,*
> *da's voor een vis toch overbodig.*
> *Hoe kun je het verzinnen!"*

Trijn zei: *"Je moet goed kijken.*
'k Mag op een visje lijken,
maar ik ben een zoogdier, net als jij.
Ik voel me in de zee pas blij
met vleugels aan mijn vinnen!"'

Als het liedje afgelopen is, klapt iedereen heel
hard.
De kinderen buigen.
En Jesse is vergeten dat hij bokshandschoenen
draagt.

12 Heel veel euro's

Het went om altijd bokshandschoenen aan te
hebben.
Jesse draagt ze bijna de hele dag.
Niet als hij moet eten, of wanneer hij naar de wc
moet, of wanneer hij op school moet schrijven.
Maar verder heeft hij ze aan.
Ze worden er niet mooier op.
In de linker zit een winkelhaak.
Van de rechter is het klittenband stuk.
Ze zijn niet langer rood, maar bruin met
vlekken.
En Jesse heeft altijd, altijd zweethanden.
Dat is wel vervelend.

Morgen is de maand om.
'Moeten we die bokshandschoenen niet eens
uitdoen?', vraagt mama.
'Uit?', schrikt Jesse.
Mama knikt.
'Om te kijken of je echt van het duimen af bent?'
'Wanneer dan?'
'Wat zou je zeggen van nu meteen?'

Dat vindt Jesse wel een goed idee.
Papa is niet thuis en dat is wel zo fijn.
Want als hij per ongeluk toch nog een keer
duimt, hoeft papa het niet te weten.
Mama helpt hem het klittenband los te maken.
Ze haalt haar neus op.
'Oef! Wat een lucht.'
Ze legt de handschoenen in de bijkeuken.
Intussen zit Jesse wat onwennig op de bank.
Met twee blote handen.
Hij kijkt eens naar zijn duim.
Zou die weer in zijn mond willen?
Hij snuffelt eens aan zijn duim.
Bah!
Hij staat op, rent naar de keuken en wast zijn
handen, met heel veel zeep.
'Morgen is de maand om', roept mama. 'Dan
gaan we beslissen wie de pot gewonnen heeft.'
Jesse loopt naar de stopfles.
Er zitten een heleboel briefjes van vijf in en
munten van een en twee euro.
'Mag ik het geld tellen?', roept hij.
Het mag van mama.
Jesse telt het geld.
Hij legt de munten in rijtjes van tien en telt de
briefjes.
In totaal zit er € 124,- in de fles.

Dat zijn heel veel euro's!
Die duim gaat zijn mond niet meer in.
Dat weet Jesse zeker.
Want hij wil dat geld winnen.
Hoe duur zou een trampoline zijn?
Jesse stopt het geld weer terug in de fles.
Nog even en het is van mij, denkt hij.
Hij kijkt naar zijn duim.
'Als je nog een keer in mijn mond wilt, bijt ik je',
zegt hij zacht.
Dan kijkt hij schichtig naar mama.
Gelukkig, ze heeft hem niet gehoord.
Eigenlijk heeft hij geen trek in zijn duim.
Best gek, om je duim in je mond te stoppen.

'Mam, mag ik achter de computer?'
'Waarvoor?'
'Spelletje memory spelen, of zeeslag.'
'Goed, maar niet langer dan een uur.'
Wat Jesse ook doet die middag en avond, de
duim gaat niet meer in zijn mond.

I3 Het Zwemkasteel

'De maand is om!', juicht Jesse.
Hij is de trap af geroffeld.
Hij duikt op papa.
Die kietelt hem.
'Mijn bokshandschoenen zijn stuk', zegt Jesse.
'Mag ik nieuwe?'
'Je hebt ze toch niet meer nodig?', vraagt papa.
'Je duimt toch niet meer?'
'Nee, maar ik wil op boksen', zegt Jesse. 'Ik ben
snel als een panter en soepel als een slang.'
Papa lacht.
'Volgens mij moet je ouder zijn om bij een
boksclub te kunnen', zegt hij. 'Maar ik wil er best
eens naar vragen.'
Papa geeft Jesse een por in zijn zij.
'We mogen wel oppassen', zegt hij. 'Straks
hebben we een echte bokser in huis.'
'Pap, we moeten iets heel belangrijks doen.'
Papa's ogen glimmen.
Hij weet allang wat Jesse bedoelt, maar hij houdt
zich dom.
'De auto wassen, bedoel je?'

'Ja, dááháág! We moeten beslissen wie de pot gewonnen heeft. De stoppot. Er zit 124 euro in!'

'Heb jij nooit meer op je duim gezogen?', vraagt papa streng.

'Nooit meer', zegt Jesse plechtig. 'Ik ben er helemaal mee gestopt. Ik lust hem niet eens meer.'

'Wat goed van je', zegt mama. 'En jij, Jaap, heb je nooit meer een sigaret gerookt?'

'Na die ene keer op de wc nooit meer', zegt papa.

'Dus Jesse duimt niet meer en papa rookt niet meer', zegt mama. 'Dan hebben jullie allebei gewonnen.'

Lieke kruipt naar de laagste boekenplank.

Ze trekt er drie boeken uit.

'Niet doen', roept mama.

Ze loopt snel op Lieke af.

Ze gaat op haar hurken naast Jesses zusje zitten.

Lieke grabbelt met haar handje tussen de boeken en trekt een pakje sigaretten te voorschijn.

'Wat zullen we nu krijgen?'

Mama neemt het pakje uit Liekes knuistje.

'Weet jij hier meer van, Jaap?'

Papa kijkt betrapt.

'Dat is mijn reservepakje', stamelt hij.

'Wat?'

Mama's ogen spuwen vuur.

'Voor als ik het niet vol kon houden. Maar het zit nog dicht. Ik heb echt niet meer gerookt. Niet meer na die ene keer op de wc.'

'Een reservepakje', zucht mama.

Ze loopt naar de afvalemmer en smijt het weg.

Meteen bedenkt ze zich.

Ze pakt het terug, neemt een schaal uit het kastje en een schaar uit de la.

Ze haalt de sigaretten uit het pakje en begint ze in kleine stukjes te knippen.

'Wat doe je nou?', zegt papa beduusd.

'Nieuw recept', zegt mama. 'Sigarettensalade. En nu nog even opwarmen.'

Ze strijkt een lucifer aan en laat hem vallen.
De sigarettensalade vat vlam.
'Het fikt lekker', zegt Jesse genietend.
'Jij bent niet goed snik', zegt papa tegen mama.
'Jij bent een rare mevrouw, weet je dat? Eng
gewoon.'
'Dat zal wel,' zegt mama, 'maar jij hebt voorlopig
niks meer te roken. Dan kom je ook niet op
ideeën. Of heb je nog meer pakjes verstopt?'
'Nee, rare mevrouw', zegt papa. 'Mijn laatste
sigaretten zitten in de salade. Die laat je me
vanavond toch niet opeten?'
'Wie weet', zegt mama. 'Maar de winnaar van de
pot is nu wel bekend.'
'O ja? Wie dan?', vraagt papa.
'Wie denk je?', vraagt mama. 'Degene die
stiekem gerookt heeft en een pakje sigaretten
heeft verstopt? Of degene die van het duimen is
afgekomen, zelfs al werd hij op school
uitgelachen?'
Papa zucht diep.
'Ja, als je het zo zegt, is het duidelijk', vindt hij.
Hij steekt zijn hand uit.
'Gefeliciteerd met de pot, Jesse. Jij bent de
stopkampioen.'
'Mag ik het geld hebben?', vraagt Jesse blij.
Mama knikt.

'Jij hebt het eerlijk gewonnen. Wat ga je ermee doen? Een trampoline kopen, zeker?'

'Nee', zegt Jesse. 'Ik heb iets anders bedacht. Iets dat leuk is voor ons allemaal. We gaan naar het Zwemkasteel!'

Mama kijkt niet-begrijpend.

Papa zegt: 'Ja, daar heb ik over gehoord. Het is een tropisch zwembad, twintig kilometer verderop.'

Blij knikt Jesse.

'De juf is er geweest met haar kinderen. Er is een groot zwembad. Daar kan papa baantjes trekken. Er is een sauna bij. Dat vindt mama leuk. En er is een pierebadje voor Lieke.'

'Je hebt aan iedereen gedacht', zegt mama. 'Wat lief van je.'

'En voor mij is het het allerleukst!', zegt Jesse. 'Want er is een superhoge glijbaan. Die gaat boven het dak van het zwembad uit. En er zijn wel tien trampolines. Je kunt er ook patat en ijs eten. Ik trakteer jullie allemaal. En ik betaal alles uit de stoppot.'

Bewonderend kijkt papa hem aan.

'Dat heb je goed bedacht', zegt hij. 'Maar je houdt beslist nog geld over.'

'Dat weet ik', zegt Jesse. 'Dat zet ik op de bank voor later.'

'Je bent een verstandige knul', zegt mama en ze strijkt over Jesses stekelhaar.

'Want later koop ik een raceauto', zegt Jesse.

'Dan ga ik meedoen aan de Formule 1. Lekker scheuren.'

Hij begint door de kamer te rennen en doet een raceauto na.

Met een hele hoop kabaal.

Mama stopt haar vingers in haar oren.

'Of misschien is hij toch niet zo verstandig', zegt ze.

Papa lacht.

'Wij gaan in ieder geval een boel pret maken met zijn allen. In het Zwemkasteel', zegt hij.

En dat doen ze.

Jesses vader heeft nooit meer gerookt.
En Jesse heeft nooit meer geduimd.
Hij heeft twee jaar lang een beugel gedragen.
Een heel stoere, met gekleurde elastiekjes.
Toen hij negen was, werd hij lid van een
boksclub.
Buiten de club sloeg hij geen mensen.
Behalve één keertje, toen het echt nodig was.
Daarna heeft Felix hem nooit meer geplaagd.

Misschien wil je vader, moeder, juf of buurman wel
stoppen met roken, zoals Jesses vader.
Daarvoor is informatie te vinden op de volgende website:
www.rokeninfo.nl

Wie net als Jesse wil stoppen met duimzuigen kan meer
informatie vinden op: **www.logopedielombardijen.nl**

Jesses moeder maakt almaar vieze salades.
Als je een lékkere salade wilt maken, probeer dan dit
recept voor **witlofsalade** eens.

Wat heb je nodig voor 2 personen:
250 gram witlof
1 ui
1 zoetzure appel
1 eetlepel mayonaise (halvanaise, yogonaise of fritessaus
mag ook)
citroensap
1 theelepel suiker

Haal eerst de lelijke bladen van de witlof en was het
daarna. Snijd de stronkjes in reepjes van ongeveer $1/2$ cm.
(Gooi het harde stukje stronk weg en haal de kern uit de
witlof. Die smaakt bitter.) Doe de gesneden witlof in een
zeef en schud het laatste water eruit. Snipper de ui. Schil
de appel, snijd hem in kleine stukjes en besprenkel die
met citroensap. Hussel ui, appel, mayonaise en suiker
door de witlof met een vork en een lepel.
Smullen maar!!!

Lida Dijkstra

(P.S. Ik heb het recept naar de moeder van Jesse
gestuurd!)

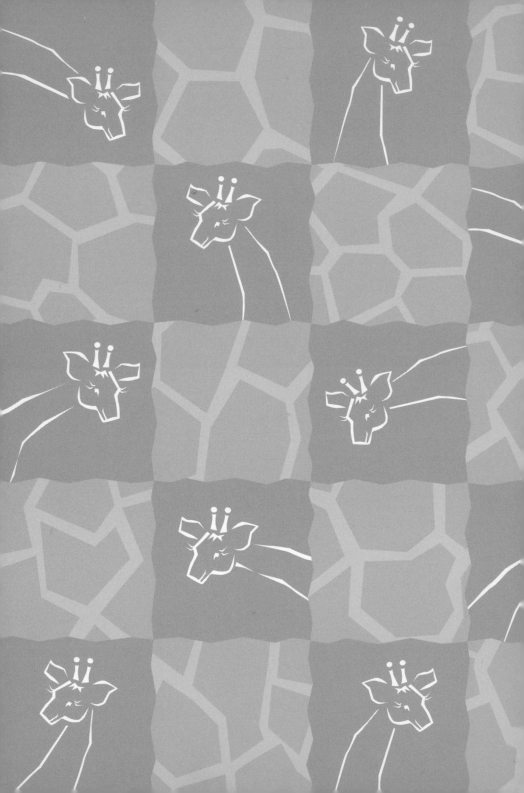